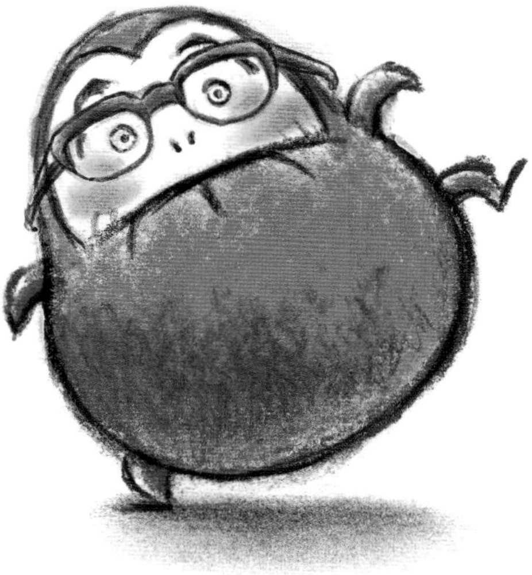

だ　　る　　ま

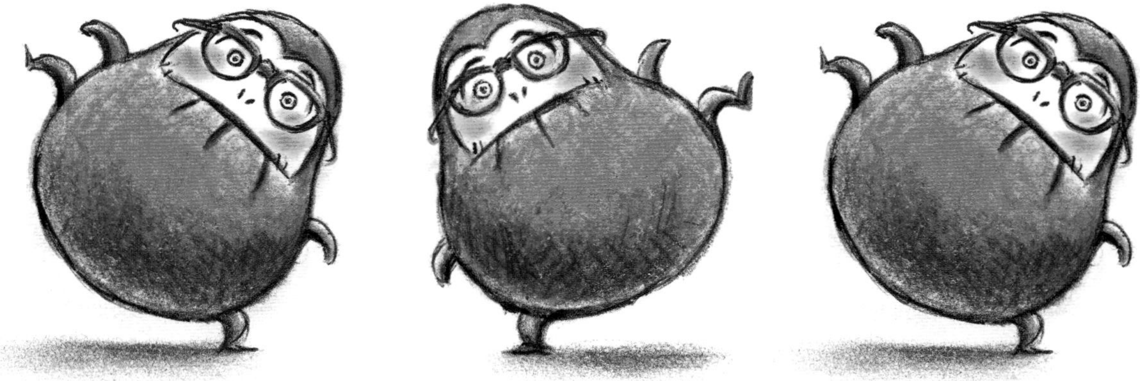

さ ん の

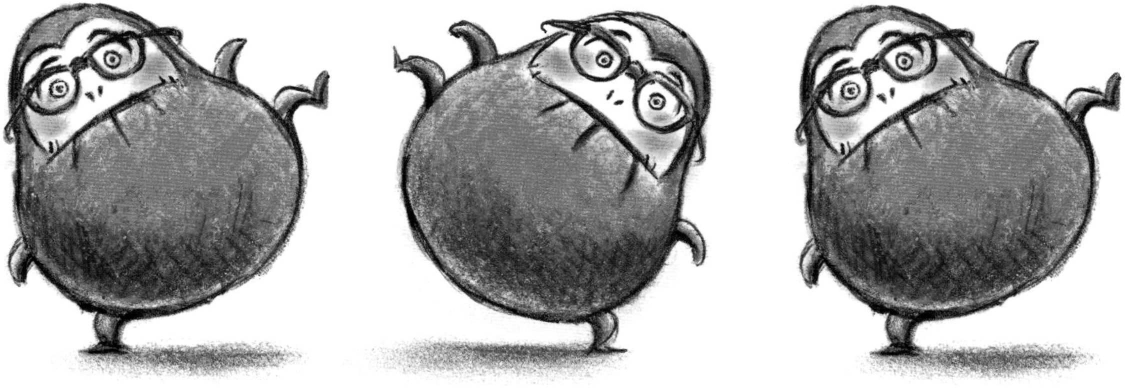

め

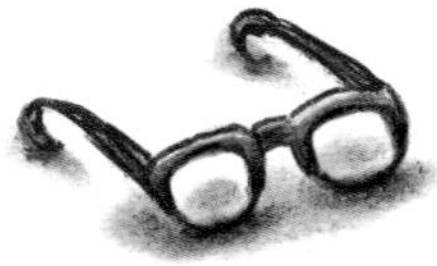

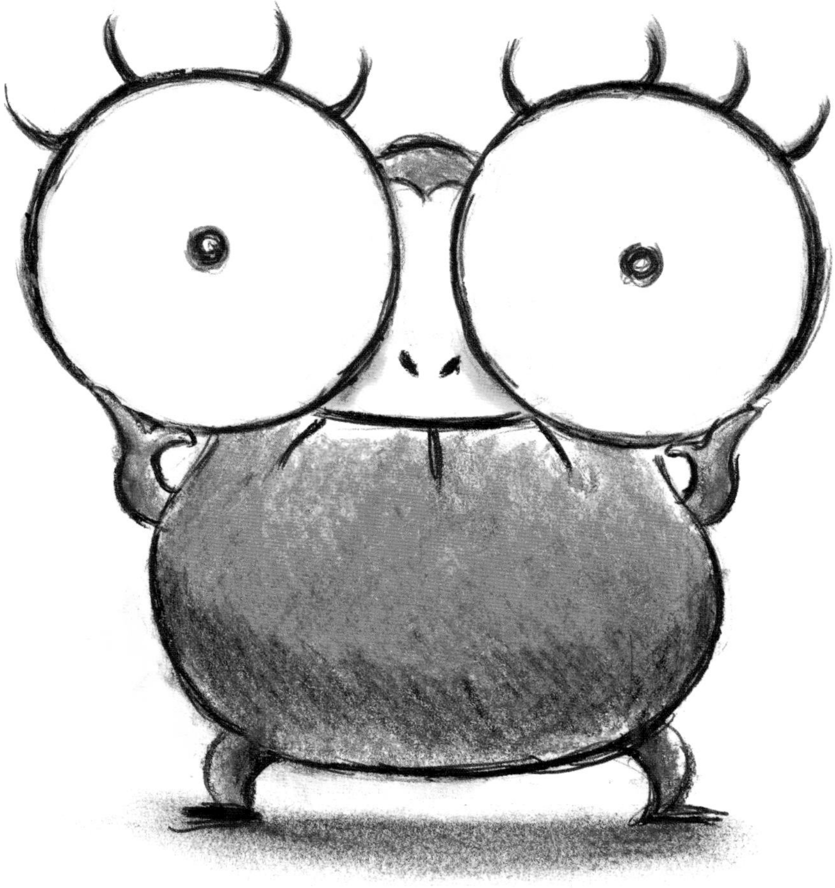

だ　る　ま

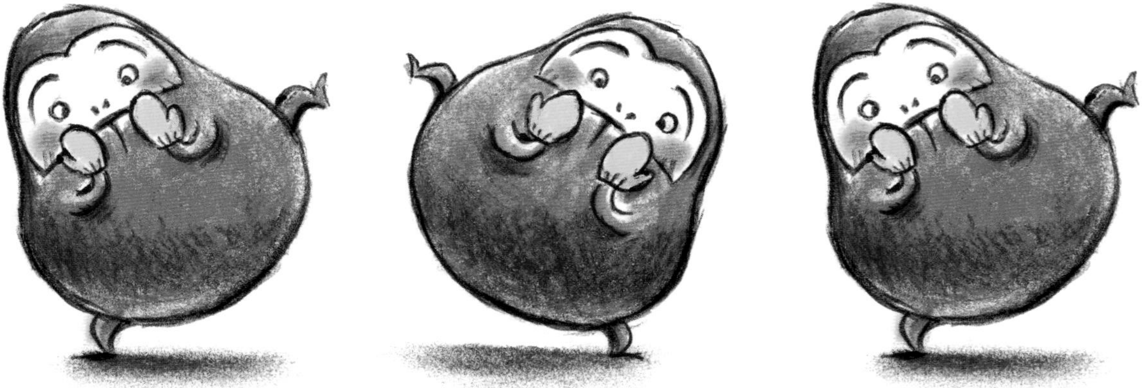

さ　ん　の

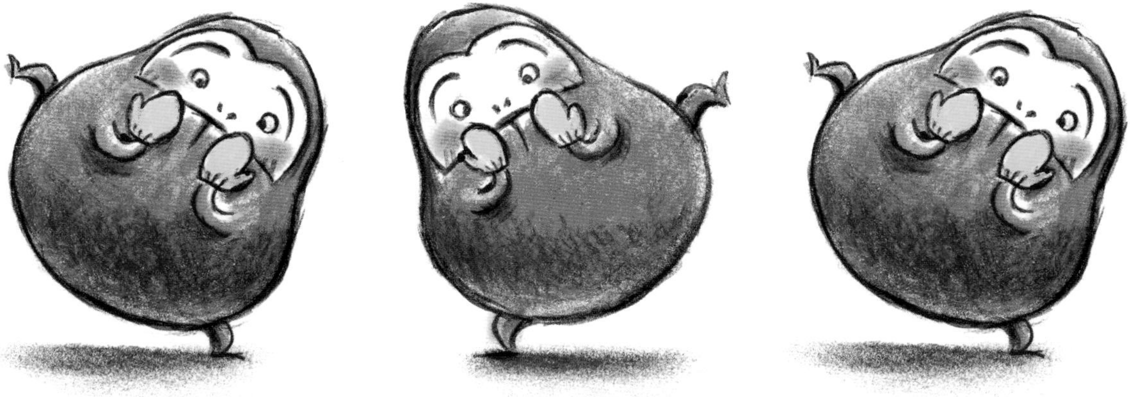

て

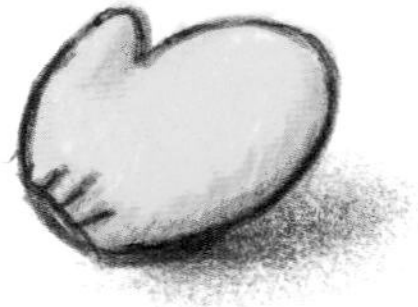

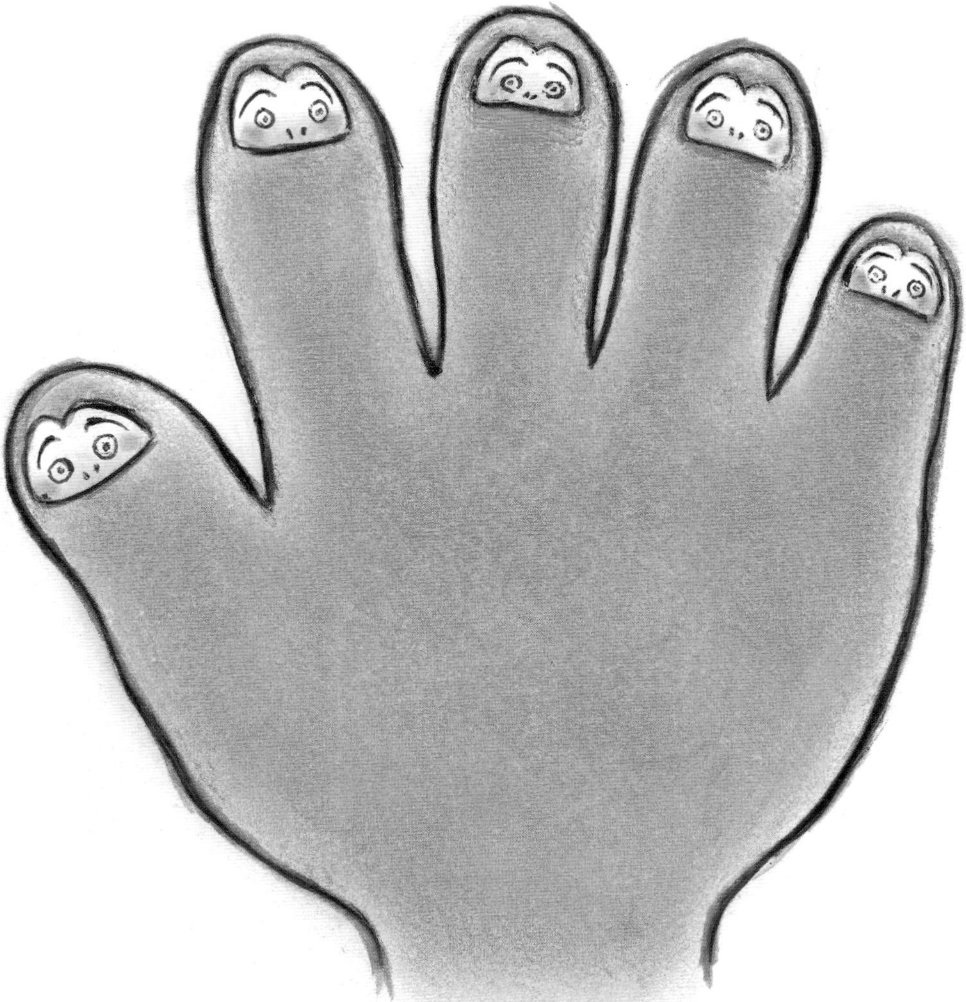

だ　　　る　　　ま

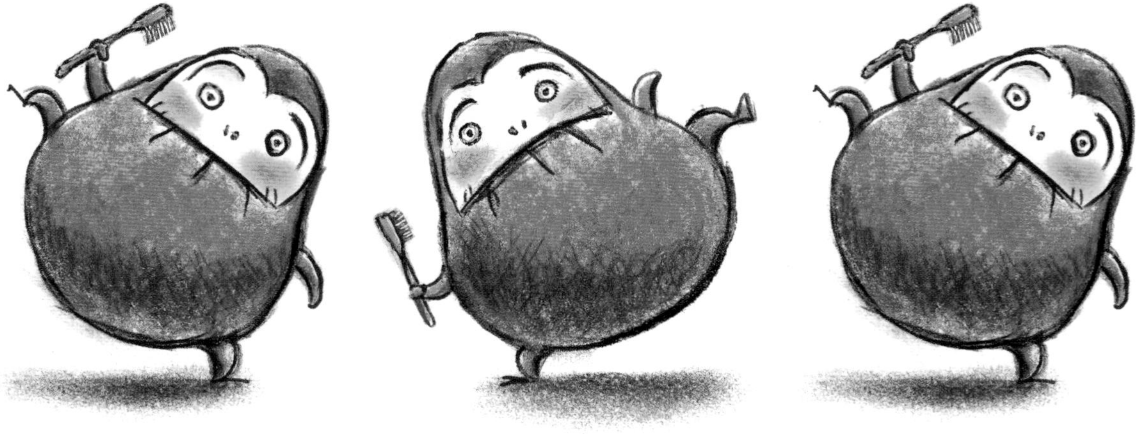

さ　ん　の

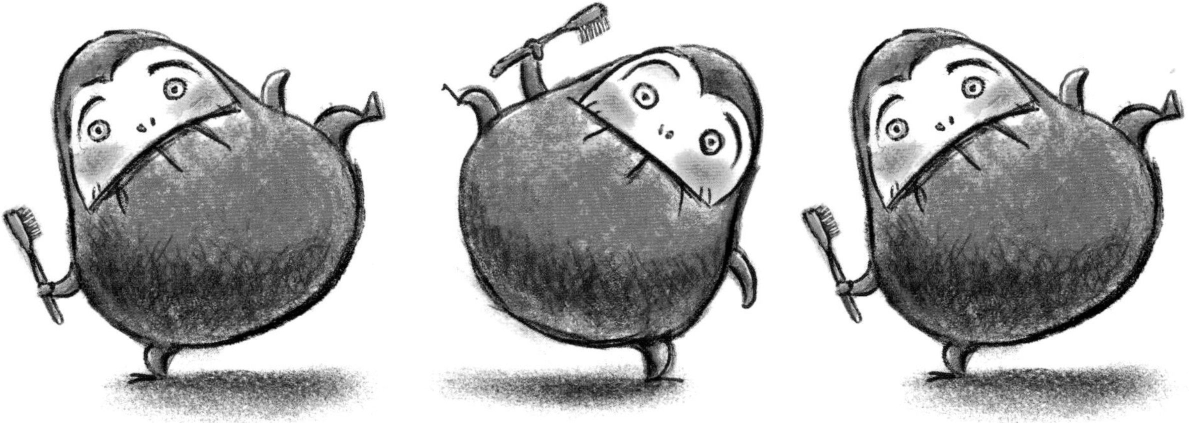

は

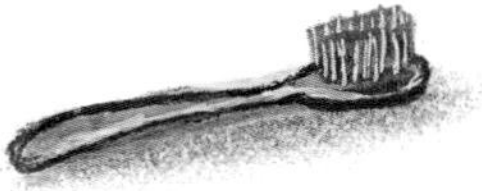

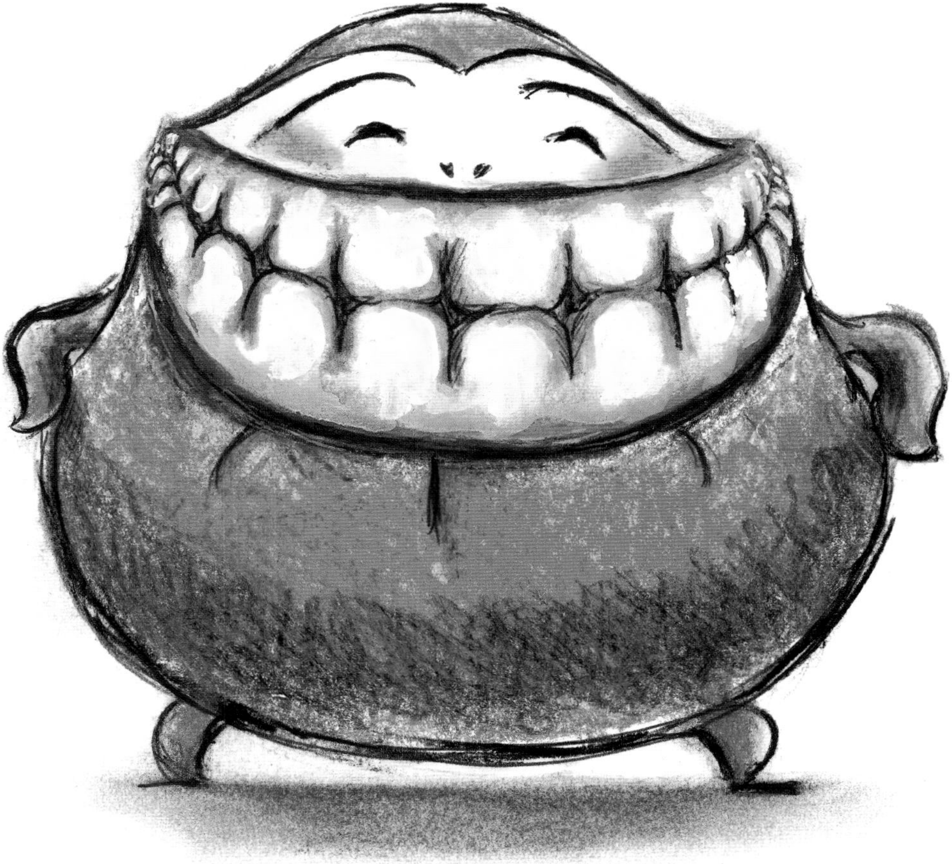

だ　　　　る　　　　ま

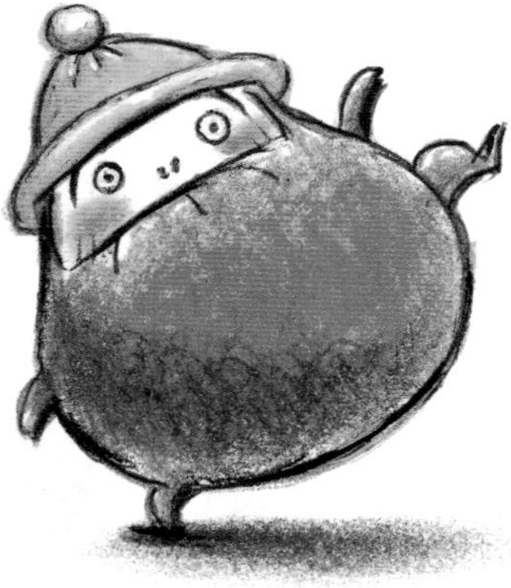

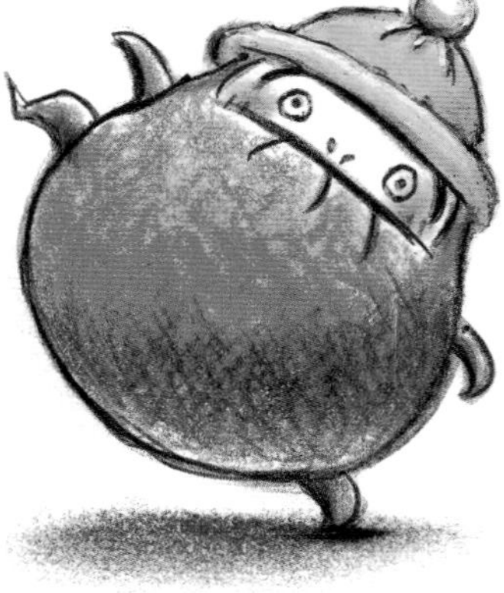

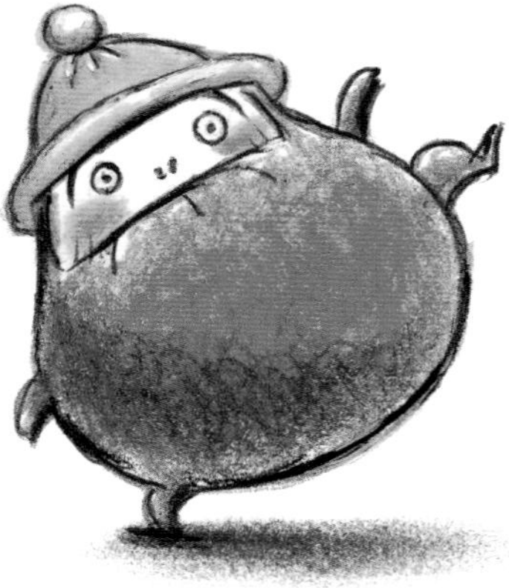

さ　　ん　　の

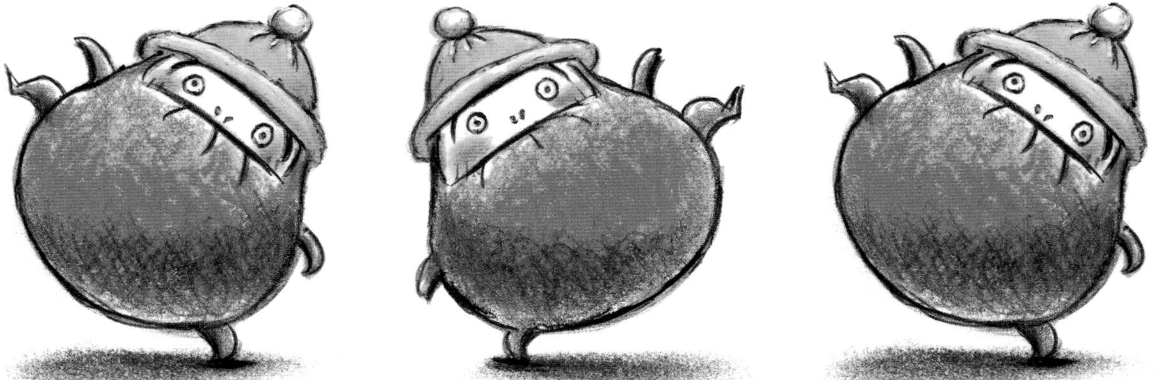

け

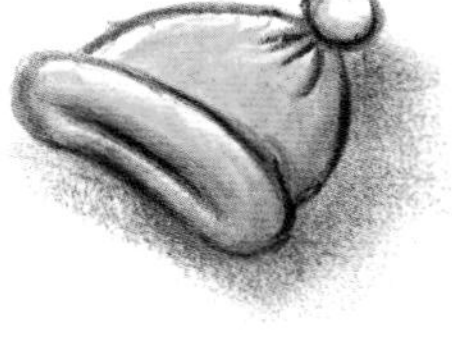

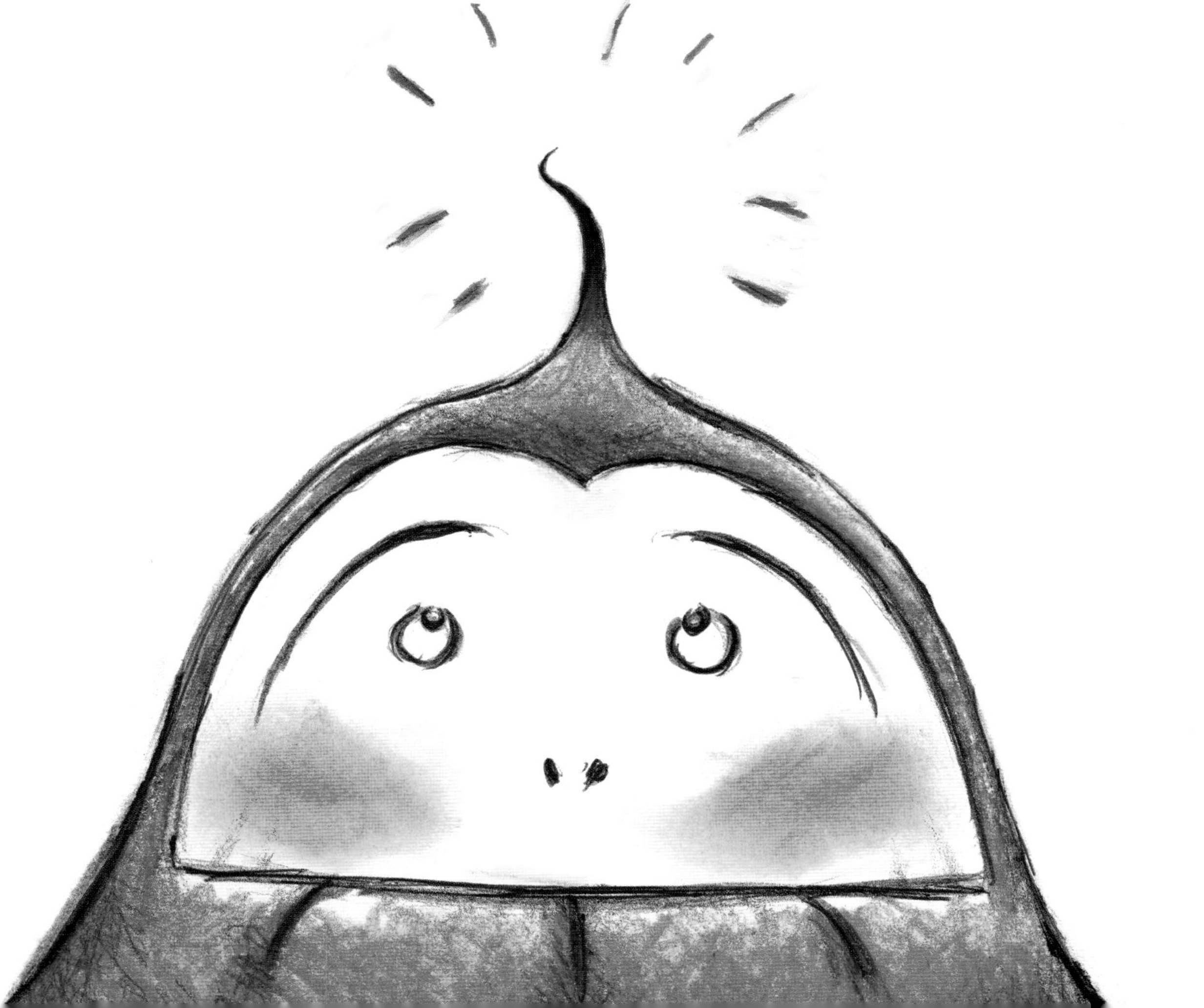

だ　　る　　ま

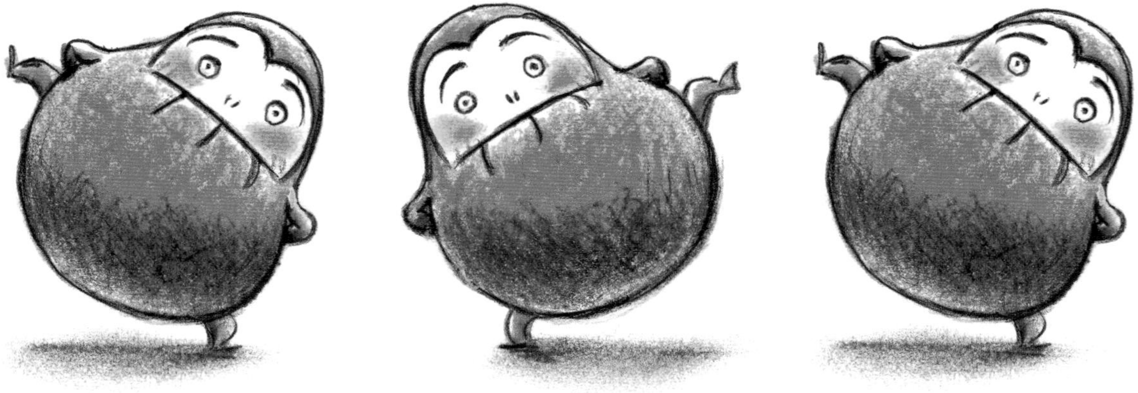

さ　　ん　　の

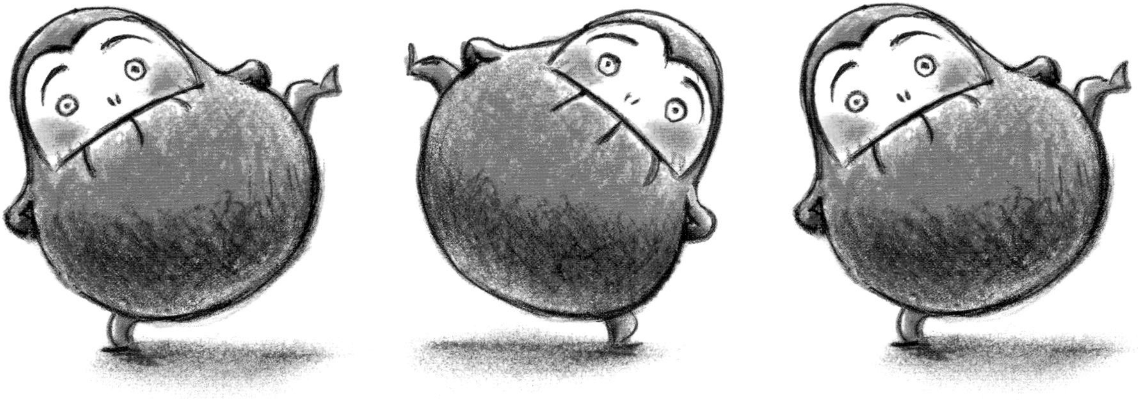

お

あったっけ？

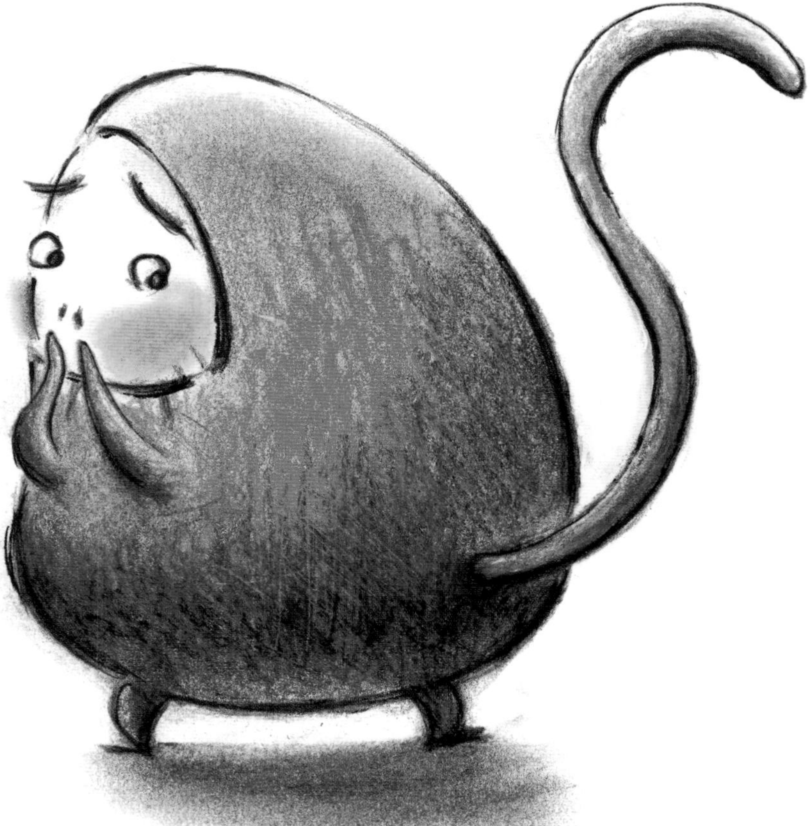